Le petit renne de Noël

Pour Jay, Jean, Marion et les « filles-rennes » originales, Rosie et Raffi.

Catalogage avant publication de Bibliothèque et Archives Canada

Killen, Nicola
[Ollie's Christmas reindeer. Français]
Le petit renne de Noël / Nicola Killen ; texte français d'Isabelle Fortin.

Traduction de : Ollie's Christmas reindeer.
ISBN 978-1-4431-6093-3 (couverture rigide)

I. Titre. II. Titre: Ollie's Christmas reindeer. Français.

PZ23.K538Pe 2017 j823'.92 C2017-901161-8

Publié initialement au Royaume-Uni en 2016 par Simon & Schuster UK Ltd.

Édition publiée par les Éditions Scholastic, 604, rue King Ouest, Toronto (Ontario) M5V 1E1, Canada.

7 6 5 4 3 Imprimé en Chine CP155 22 23 24 25 26

Le texte a été composé avec la police de caractères Cochin regular.

LE PETIT RENNE DE NOËL

NICOLA KILLEN

TEXTE FRANÇAIS D'ISABELLE FORTIN

Éditions
SCHOLASTIC

C'est la veille de Noël. Ollie vient tout juste de s'endormir quand…

Ding! Ding! Ding!

Elle se réveille en sursaut.

et sort dans la nuit
glacée.

Toute joyeuse, elle saute pour attraper
un flocon de neige au vol. Soudain,
elle entend de nouveau le son magique.

Ding! Ding! Ding!

Il faut qu'elle le rattrape.

Qu'est-ce que c'est?

Ollie court à la fenêtre, mais n'aperçoit
qu'un manteau de neige fraîche!

Elle prend son traîneau, dévale l'escalier...

Swiiiiiiish!

Alors qu'elle file en bas de la colline, elle entend encore le tintement.

Ding! Ding! Ding!

Cette fois, le son est beaucoup plus clair.

Le vent siffle, les arbres s'agitent…
et le tintement s'intensifie.

Ding! Ding! Ding!

Ollie y est presque.

Elle s'arme de courage,
inspire profondément et
se met à courir vers la noirceur.

Là, suspendu à une branche,
Ollie trouve un collier orné de grelots argentés.

À qui appartient-il?

Puis… elle entend un autre bruit…

Crounch… crounch… crounch…

Dans la neige craquante,
un renne s'avance vers elle.

— B… b… bonjour, murmure-t-elle, les yeux écarquillés de stupeur. Est-ce que tu cherches ceci?

Le renne s'agenouille et attend patiemment qu'Ollie lui attache son collier.
Puis, il se baisse un peu plus.

Ollie sait exactement quoi faire : elle grimpe sur le dos de l'animal.
Elle pense qu'ils vont se promener dans la forêt mais, à sa grande surprise...

ils s'élancent dans le ciel nocturne,
laissant les arbres loin derrière eux!

Ils survolent des paysages enneigés
et des mers qui miroitent au clair de lune.
Ollie frissonne. Le renne sait à quel endroit
il doit l'amener.

Les nouveaux amis atterrissent
en douceur dans la neige.
— Merci, chuchote Ollie.

Ils n'ont aucune envie de se séparer, mais
une personne bien spéciale a vraiment
besoin de l'aide du renne cette nuit-là.

Ollie remonte discrètement dans sa chambre en bâillant…

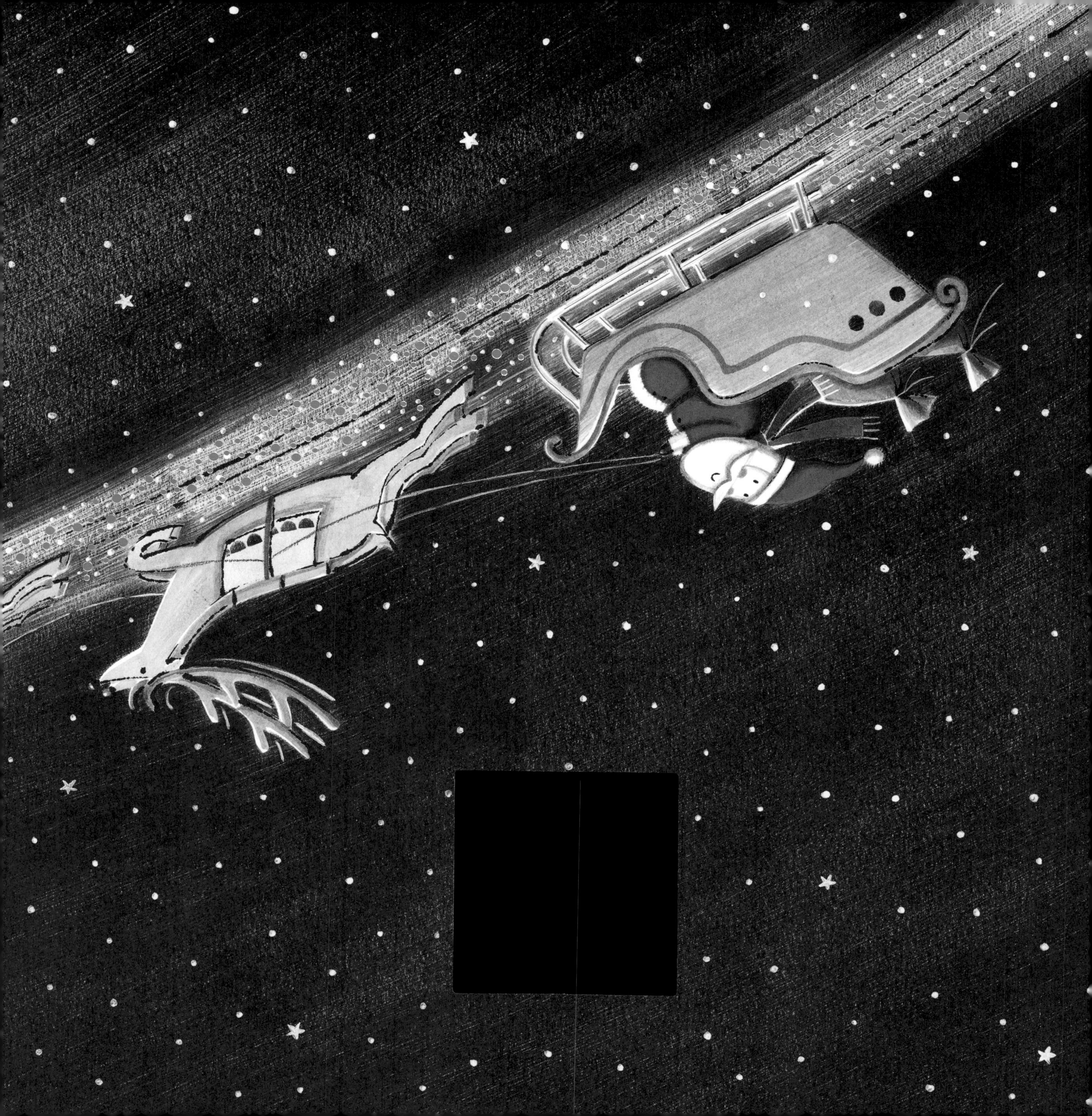

et se met bientôt à rêver du voyage féérique qu'elle vient de faire.

Ding! Ding! Ding!

Cette fois, les grelots d'argent ne la réveillent pas…

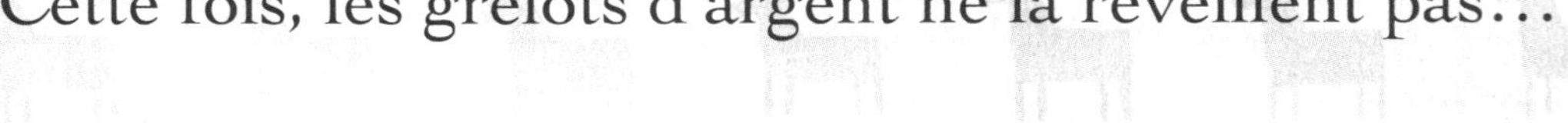

quand son renne file
une fois de plus
dans la nuit étoilée.

Au matin, Ollie découvre ses cadeaux.

Elle sait qu'elle n'oubliera jamais son nouvel ami.
— À l'année prochaine, murmure-t-elle.

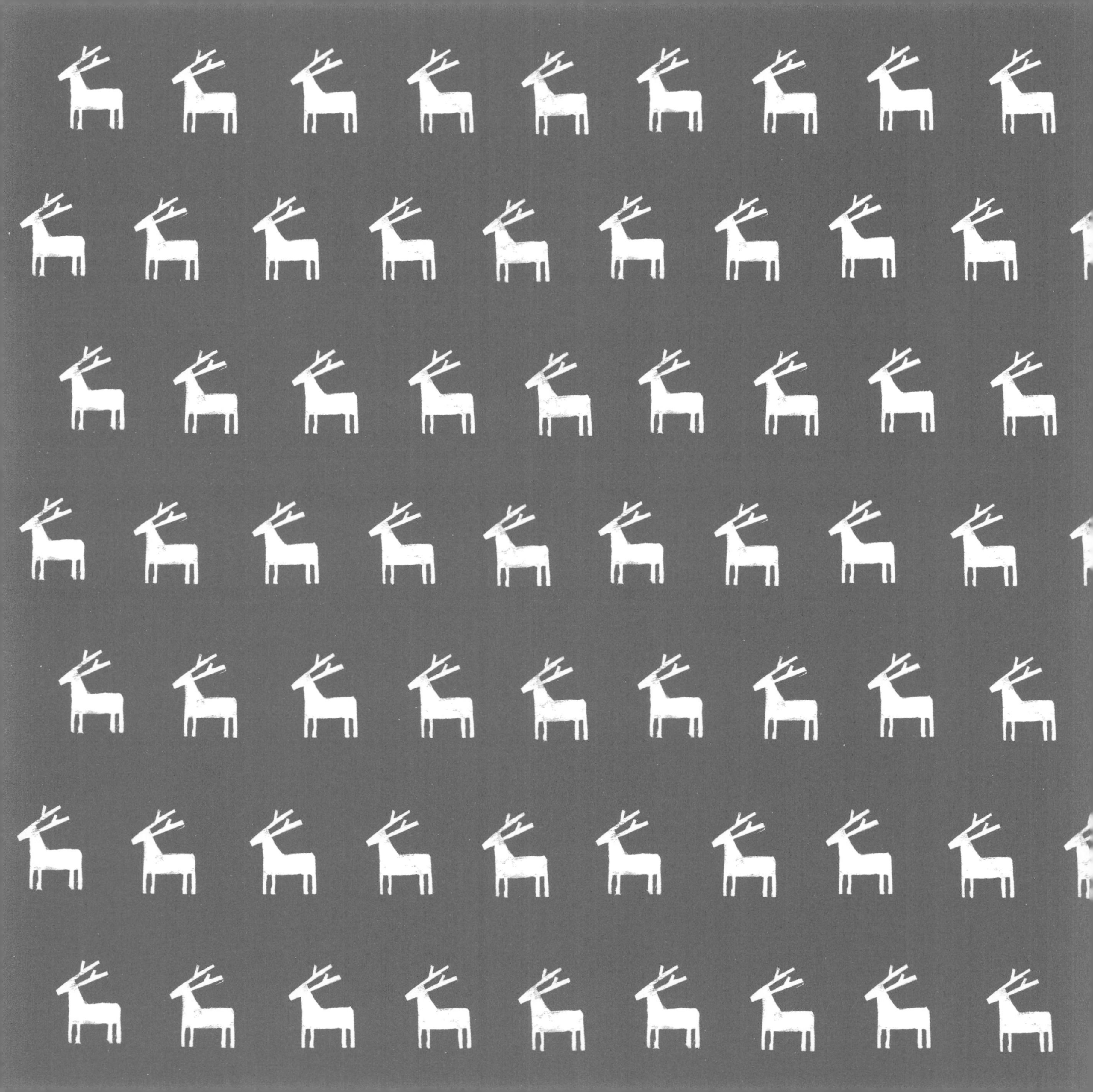